먼지로 세운 성

A castle built of dust

임선구

Im Sun Goo

꺼내어 보기

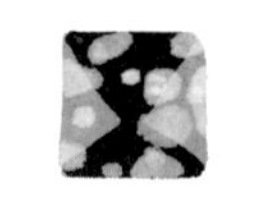

106, 114, 120

128, 162, 181

141, 192, 205

148, 163, 187

142-143, 168-169

165, 178, 232

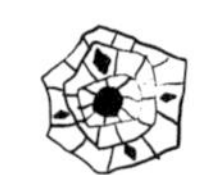

166, 173, 175

90, 121, 182-183

89, 167, 184

214, 230, 240

76, 90, 96

159, 201, 236

132, 240

217, 219, 239

122, 199, 237

144, 179, 221

136, 190, 216

80-81, 152, 213

68, 110, 151

111, 175

120

102, 150, 210

105, 133, 191

80-81, 103, 124

123, 200, 229

89, 92, 108-109

176, 229

82, 119, 148

168-169, 197, 212

165, 180, 212

141, 162, 178, 191

92, 99, 111

147, 161, 187

90, 108-109, 116

219, 222

156, 177, 190

157, 160, 217

83, 153, 159

79, 82, 150

86, 138, 146

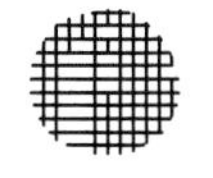

144, 161, 213

95, 134, 217

115, 223, 240

90, 118, 133

93, 130, 137

100, 172

200, 228, 235

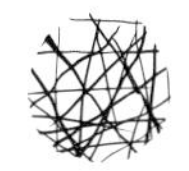

89, 116, 118

101, 106, 192

137, 163, 170

76, 174, 180

이것은 내가 그려낸 당신의 이야기

나의 불완전을 잊기 위해,
삶의 배경으로 숨기 위해
완성되지 않은 문장들을 이어 붙인다.

허약한 종이의 면역을 파고든 사악한 흑연 덩이에 관하여 우리는 땅 아래의 공간에, 바닥과 바닥 사이에 놓여 있다.
이곳으로 통하는 길은 빛이 들지 않아 무궁한 암흑과
암흑 사이로 희미한 형태만이 보일 뿐이다.

빛을 잃고 헤매던 것들이 모여서 큰 산을 만든다.
산은 무너지느라 수차례 돌을 떨어뜨린다.
흩어지지 못하고 그대로 굴러 떨어진 돌들은 다시
산더미처럼 쌓여서 울퉁불퉁한 언덕을 만든다.

땅 위에 머물던 해는 대부분 엇비슷한 시간에 사라진다.
이따금씩 홍수처럼 내리던 비 뒤로 무덤같이 커다란
웅덩이가 파여 있다. 언덕은 막다른 구석에서 솟아오르며
그 무게를 이기지 못하고 깊은 구멍을 만든다.

까맣고 큰 눈을 가진 감시자들이 우리를 내려다본다.
다른 세상을 몸 안에 품고 있는 이 새들은 날이 밝아도
같은 곳에 앉아 있다. 그것들은 한 번도 눈을 깜빡이지 않는다.

번쩍이는 눈을 가진 짐승은 길게 뻗은 몸통 사이로
무엇이 숨어들어 있는지 알지 못한다.
요란하고 왁자지껄한 모래바닥을 신발 삼아
어디로 가는지도 모르는 채 그런대로 굴러간다.

이것들은 말없는 다른 자들과 달리 시끄럽게 떠들어대서,
그 옆을 지나가는 사람들이 입을 막으려 돌 위에 다른 돌을 포개어 놓는다.

파편으로 이어 붙은 벽은 어딘가 세워진 성, 흘러 들어온 바람, 누군가의 얼굴이 보이는 그림인 듯하다. 마주하며 걸어 들어갈 때는 나를 부르는 것 같으면서도, 돌아서 나갈 때는 언제 그랬냐는 듯 천천히 뒤로 물러난다.

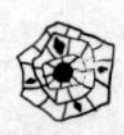

어떤 장소를 찾아오던 사람들이 점점 떠나고, 그곳에서
보이던 것들이 조금씩 줄어든다. 생각과 말과 행동이
낡아 없어지는 것처럼, 모든 것이 사라짐을 염두에 두고 있다면
우리의 가볍고 우스운 이야기들은 뿔뿔이 흩어져 무엇으로 사라지는가.

시간이 흐른다는 건 과거는 지나갔고, 현재는 존재하며,
미래는 아직 오지 않은 것이라고 했다.
우리의 이야기는 시간과 함께 사라져야만 한다.

이상하고 평화로운 날들이었다.

어디에 있는지 알면서 일부러 들추어 보지 않는 것들이 있다.
무슨 일이 벌어지고 있음을 감지 하면서도 모르는 척하는
순간들이 있다. 여름 내내 커튼 뒤에 숨어 나와 함께하던
커다란 거미는 긴 장마가 끝나고 나서야 기어 나왔다.

캄캄하게 두 눈을 가렸다가 손가락 사이를 벌려
무언가를 훔쳐보는 것도 펼쳐진 상황을 마주하는
하나의 방법이 될 수 있을까.

가시 돋친 몸뚱어리를 그대로 노출한 채
머리만 구석에 처박은 고슴도치처럼
제자리에서 눈을 감아버리는 것

흰 그림자와
거미

"그런 것 같아."라고 말할 때마다 나는 어머니에게 크게
혼나곤 했다. 무엇인 것 같다고 하는 말의 끝맺음이,
내가 어떤 생각을 가지고 있는지를 상대에게 명확히
전달하지 못하는 어법이었기 때문이다.

아버지의 작은 차 안에 우리는 그런대로 잘 구겨 앉곤 했다.
조금의 빛도 없는 밤의 시간을 통과해 집으로 달릴 때면
차 안의 공기가 축축하게 느껴졌다.
나는 종종 창문을 열어 거대한 바람 덩어리 속에 얼굴을 들이밀었다.
일부러 숨이 찰 때까지 바람에 얼굴을 맞대다가
이제 죽겠구나 싶으면 그제야 창문을 내리고 앉았다.

땅끝으로 달릴 때마다 우리는 토마라고 불리는 죽은 집을 지나쳤다.

철조망 사이의 검은 강을 따라, 잿빛 산을 넘어,
지붕이 낮은 빈집들을 하나둘 지나치다 보면
딱딱한 바닥에 쭈그려 앉은 할머니가 있다.

할머니의 입에서 나온 말 덩어리가
당신을 대변하는 모든 것을 통해
제각각 다른 모양으로, 다른 속도로 나에게 굴러떨어진다.

더 이상 주인 없는 방구석에 쌓여 있는
눅눅한 두루마리 휴지들

뻐꾸기가 나오지 않는 시계,
밟으면 그대로 다른 세계로 빠질 것만 같은 나무 바닥

아무렇게 만들어서 돌고 도는 계단과 집 안을 뚫고 지나가는 괴상한 줄기

얼굴도 모르는,
그러나 핏줄로 연결되어 있다는 사람의 갑작스러운 전화

다시 말없이 쭈그려 앉는 사람

서툴고 뾰족한 마음으로,
나의 삶에 녹아 있는
당신의 이야기를 들여다본다.

썼다가 지운 흔적

우리는 언제나 이름 없는 누군가가 되고 싶어 했다.

우리는 산속의 크고 두터운 나무를 보았다. 그것은
누군가 거꾸로 땅속에 박혀 있는 것처럼 두 갈래로
크게 갈라져 있다. 아버지는 같은 자리에 두 번씩 엎드려
절하곤 했다. 그러는 동안 우리는 나무의 구석탱이에
작은 돌멩이들을 모아 이름 없는 탑을 쌓아 올렸다.

산은 이따금씩 소용돌이쳤다. 낡아빠진 나뭇잎들을
뿜어버리고 가시만 남은 채로 몸을 비틀어 댔다.
밤의 하늘 같은 강은 무엇이든 집어삼킬 듯이 사납게 움직였다.
우리는 때마다 산의 구석에 모여 노래를 불렀다.

늙은 바위 사이에 숨어 있던 끈적끈적한 씨앗들
주위로 모래알 같은 확신들이 달라붙어 돌연 불모의 새싹이 돋아난다.

나는 똑바로 고개를 들지 못하고 곁눈질로 앞을 바라봤다.
올라가는 곳마다 돌탑을 쌓아 올렸다. 모든 사람이 움직였다.
모든 나무가 움직였다. 모든 새와 벌레가 움직였다.

젖은 땅 아래에 크고 작은 단위의 이야기 형태소들이 실핏줄처럼 퍼져 있다.

여기, 반만 잠겨 움직이지 못하는 바위가 있다.

우리가 항상 무엇인가를 좇아다니는 동안
손가락 사이로 빠져나간 것들이 있다.

"이 집은
아주 천천히
부서지고 있다."

"벽돌과 벽돌 사이에 자리 잡은 구멍이
조금씩 몸집을 키워가는 것을 보아라."
우리는 고개를 끄덕였다.

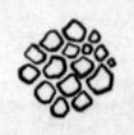

우리는 부서지는 집에서 떨어져 나온
돌 나부랭이들을 서랍 속에 가득 모아 두었다.
점점 커지는 구멍 안에 틈틈이 기억 덩어리들을 채워 넣었다.

죽은 집 안에 박제된 사람에게는
오래된 종이 냄새가 난다.

마침내 그 집이 완전히 주저앉았을 때,
우리는 수북이 쌓인 오각형과 팔각형을 들쳐 메고
나선형으로 늘어진 길을 따라 걸었다.

오래전에 묻어 두었던 몸을 찾으러 간다.

한 치 앞도 보지 않는 사람

굴곡진 길과 가파른 언덕 끝에 도달한 우리는
잿빛이 감도는 물덩이를 등지고 앉았다.

무너진 벽돌 사이에서 건져낸 부스러기들과
그곳에 면역이 된 것들을 뒤섞어 다시 하나씩
물구나무 세운다.

우리는 사라진 것들의 일부가 여기에 모여 다시
솟아오르기를 염원하며 몇 가지 낱말을 중얼거렸다.
내뱉은 소리는 자석처럼 서로 달라붙어
밤의 시간을 따라 끊이지 않고 길게 늘어섰다.

익숙한 단어들이 눈앞에 펼쳐진 장면과 상관없이 흘러간다.
나는 그것에 관해 아는 바가 없다.
그저 멍청하게 그것들을 바라본다.

가만히 서 있는 사람

어떤 자극으로 달라진 상태가 다시 원래의
상태로 되돌아오는 힘을 회복력이라고 한다면,
나는 무너져야 하는데 자꾸만 자라나는
기억의 회복력에 관해 이야기해야만 한다.

무너진 모래성을 다시 쌓아 올리기 위해
종이 위에 검은 모래들을 붙인다.

종이로 쌓아 올린 성은
한쪽을 헐어내면 다른 한쪽은 물론
모두가 허물어지는 구조로 이루어져 있다.

어떤 곳은 선만 그어져 있고,
어떤 곳은 텅 비어 있으며,
어떤 곳은 구겨지고 찢어져 있다.

불온한 마음으로 불안함을 잊기 위해 연필을 든다.

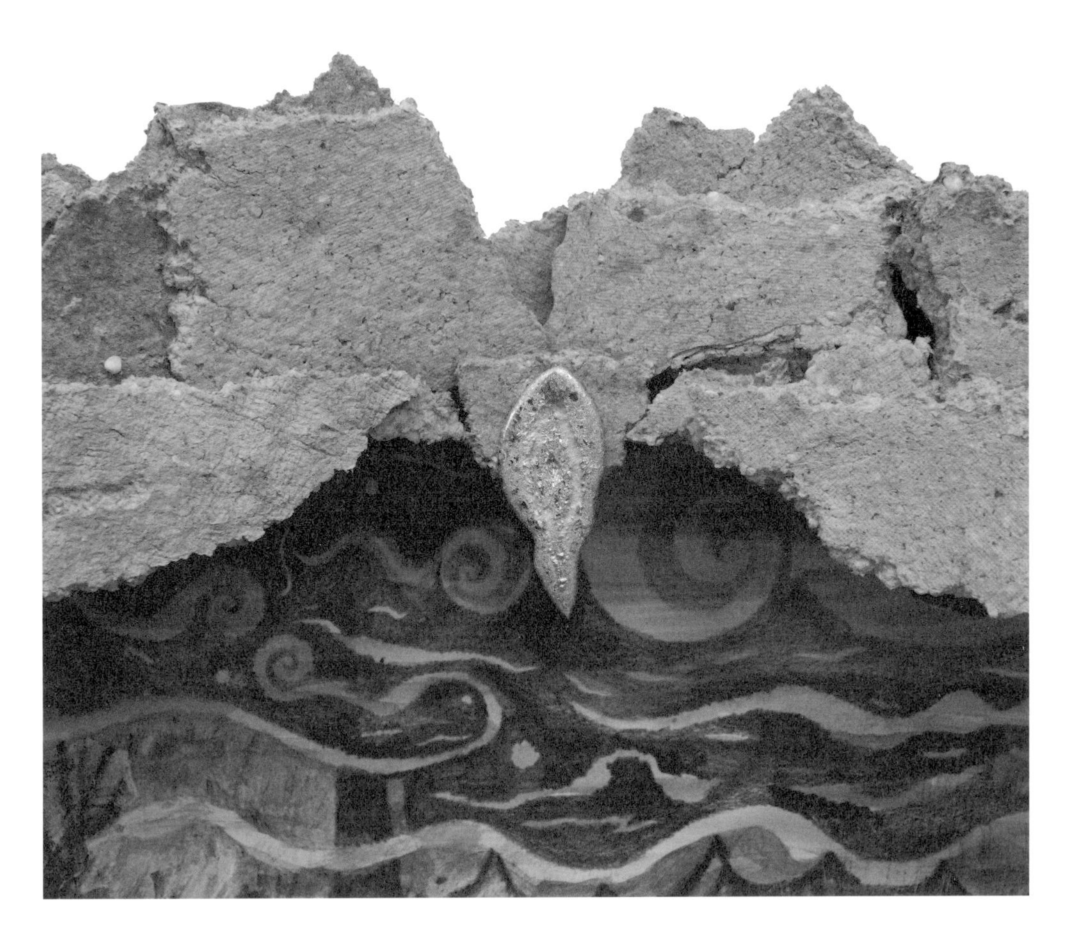

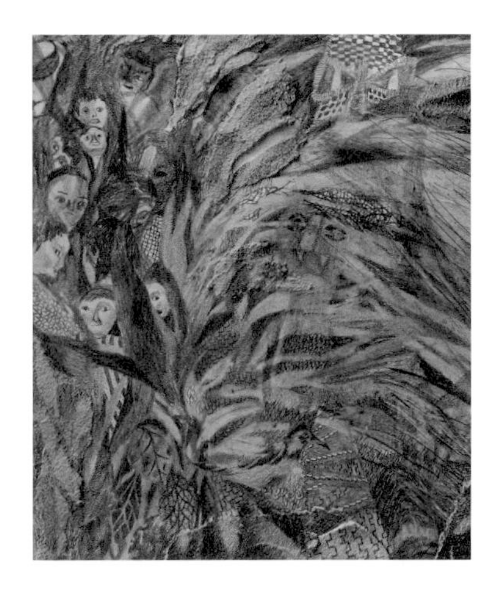

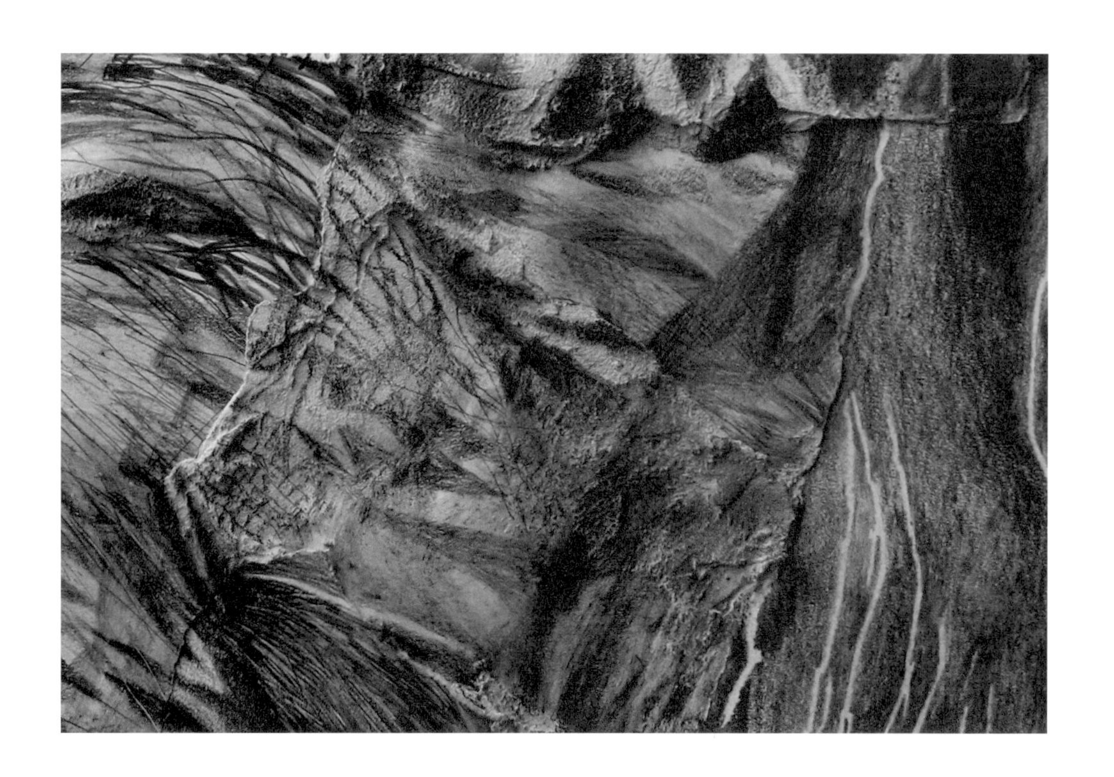

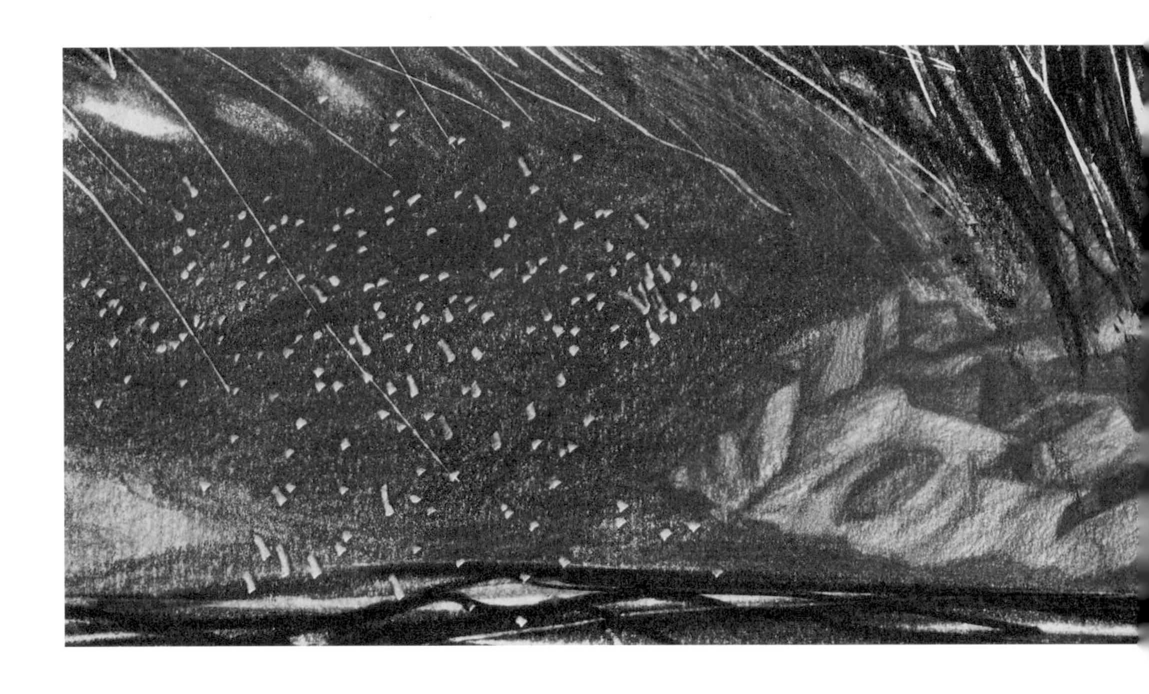

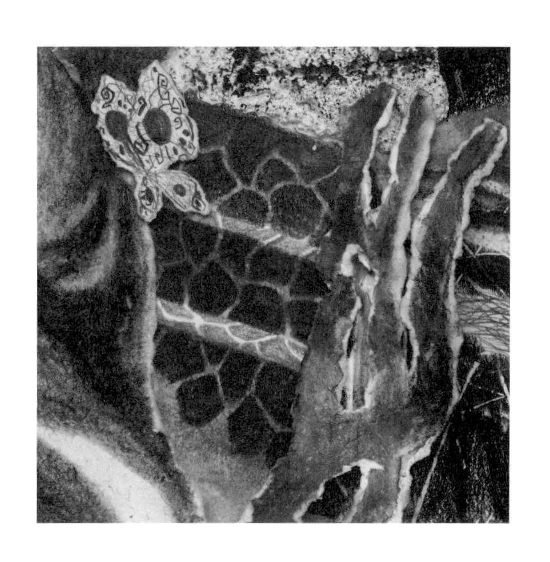

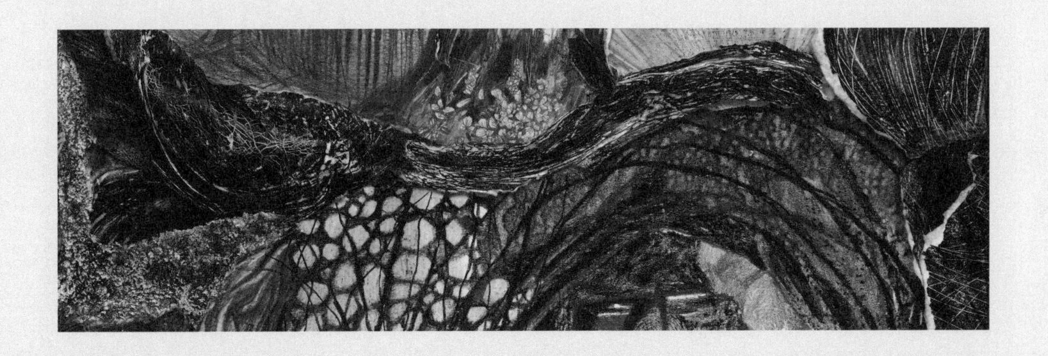

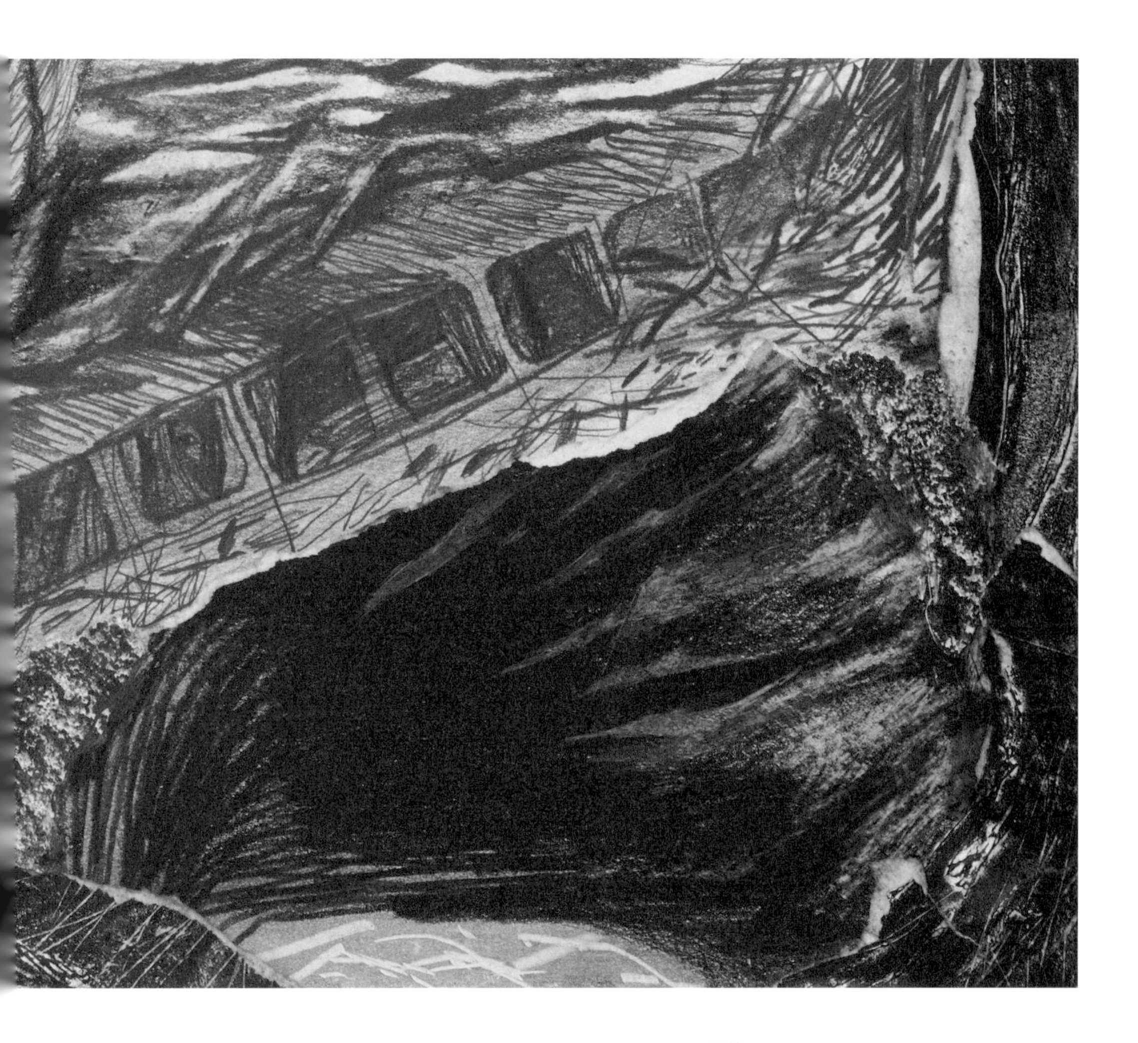

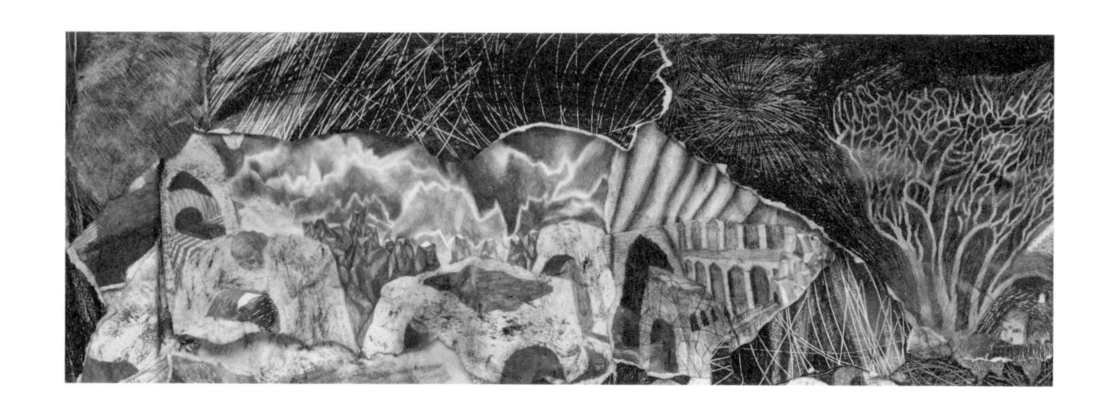

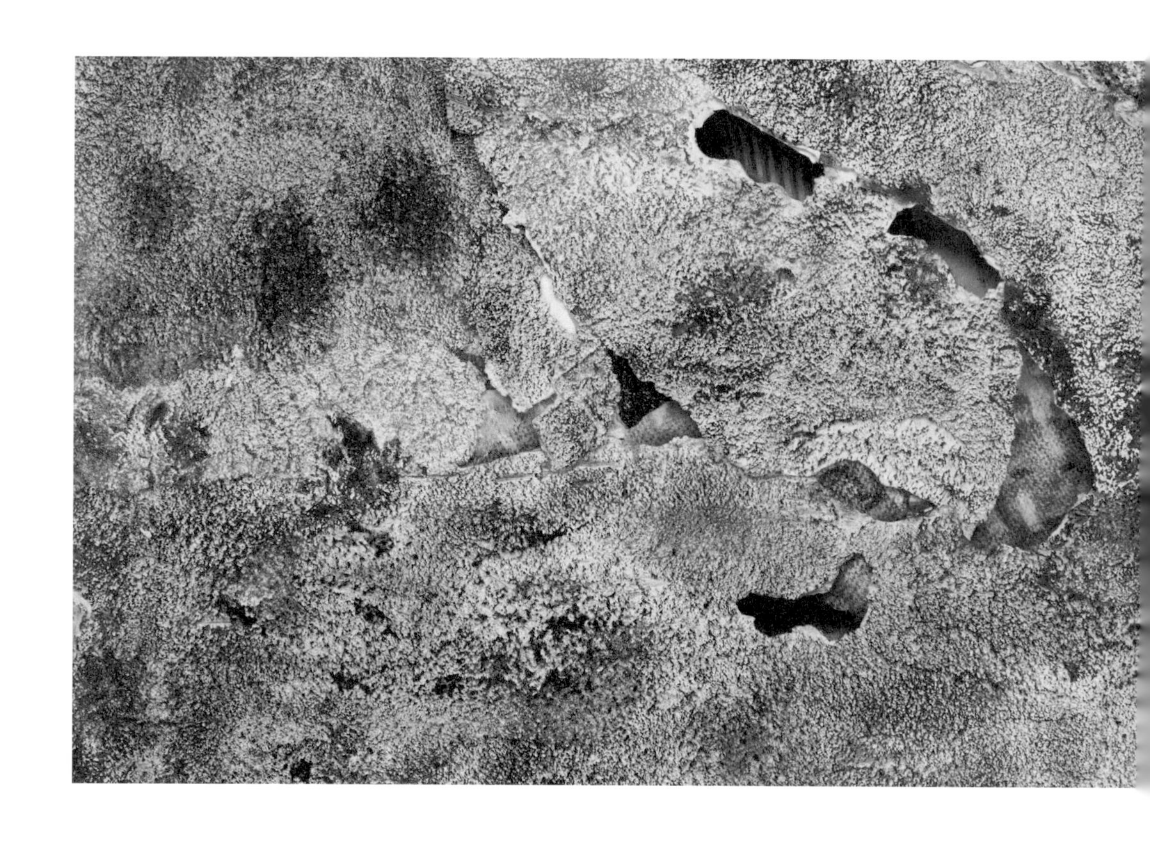

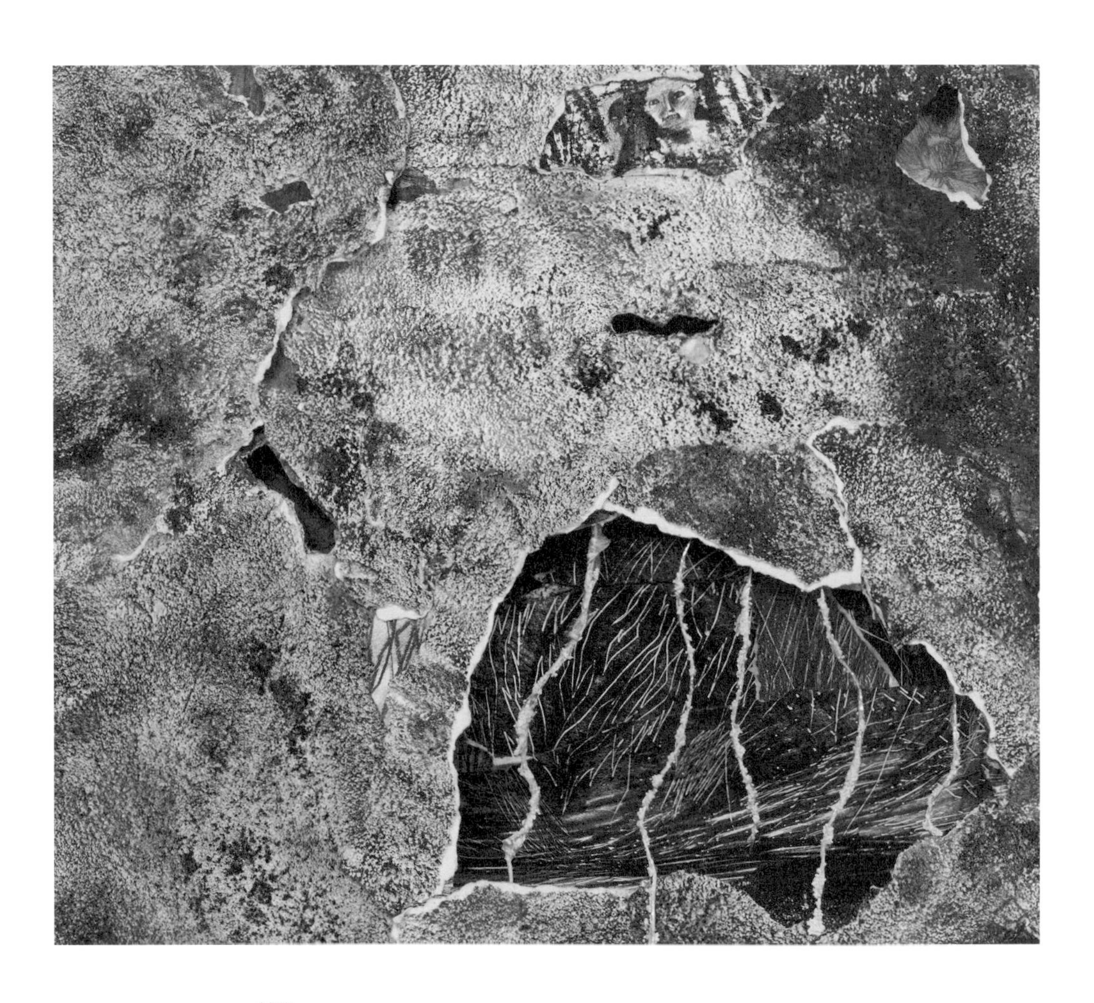

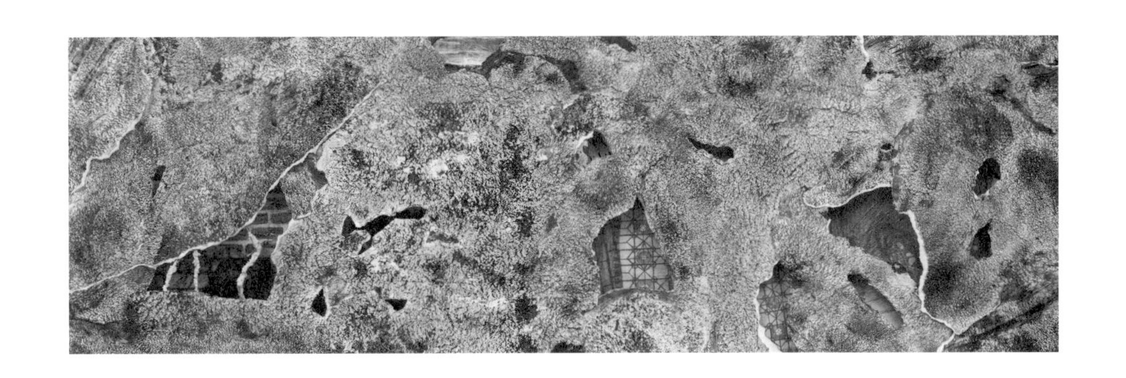

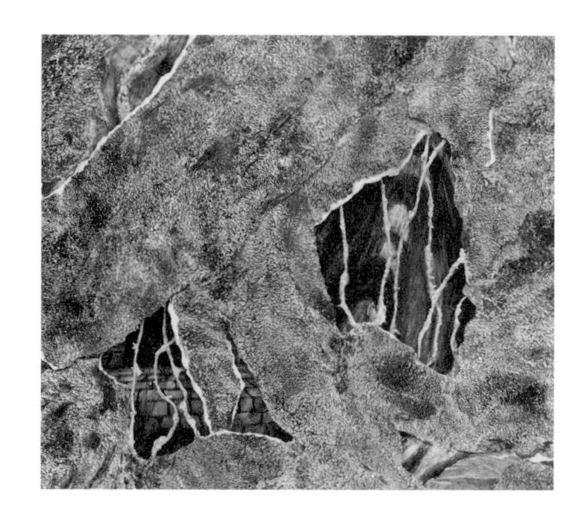

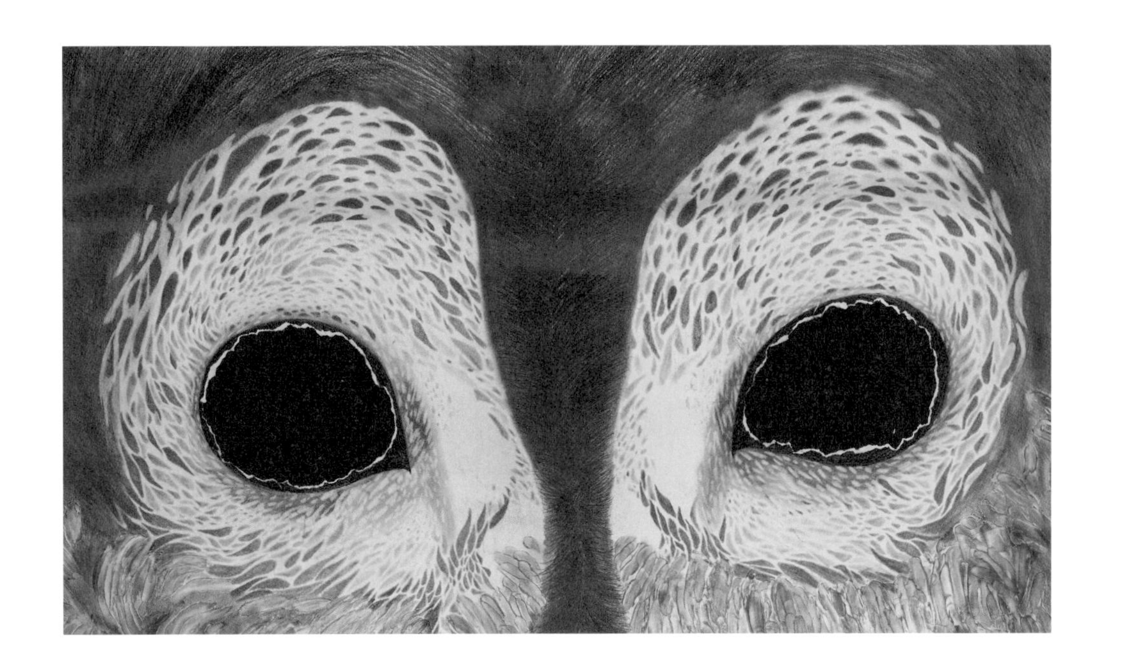

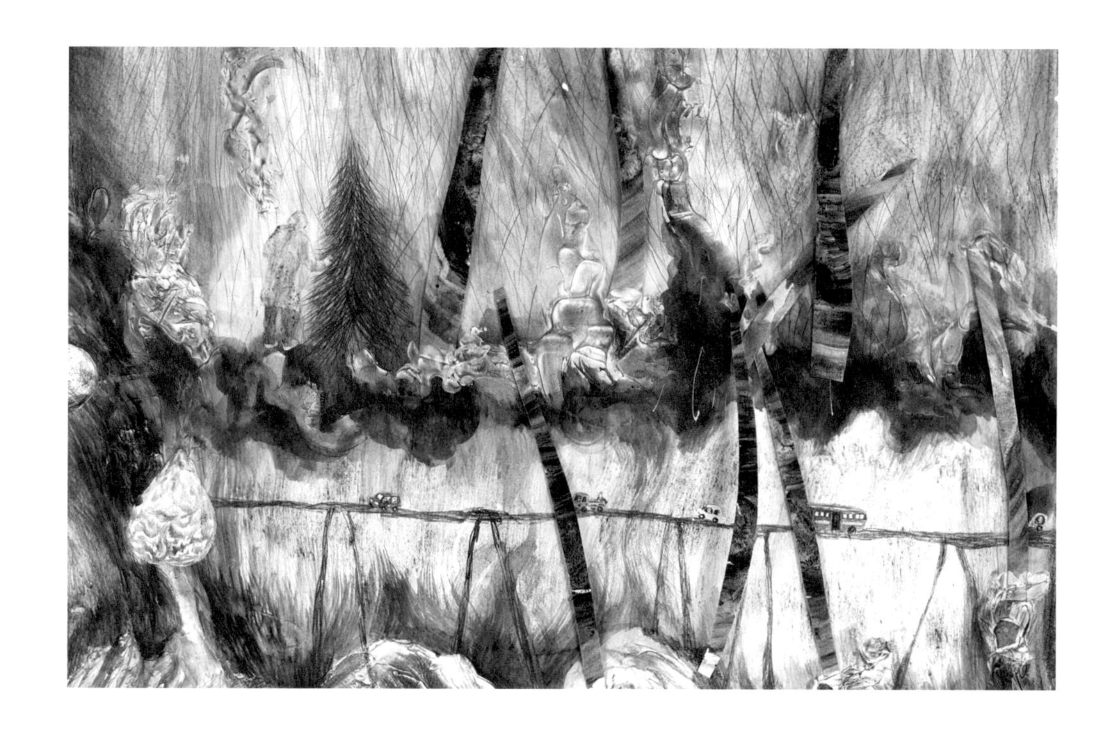

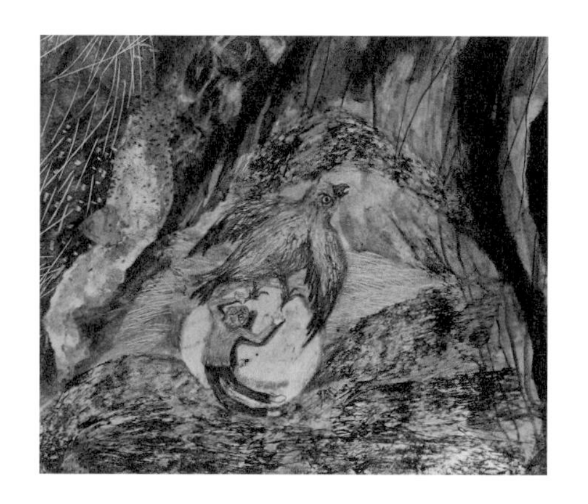

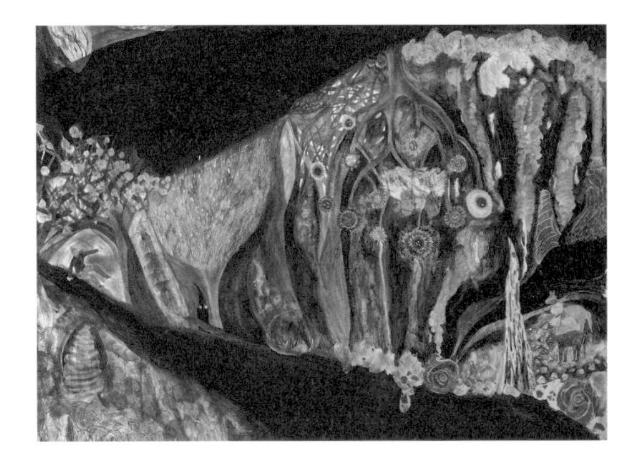

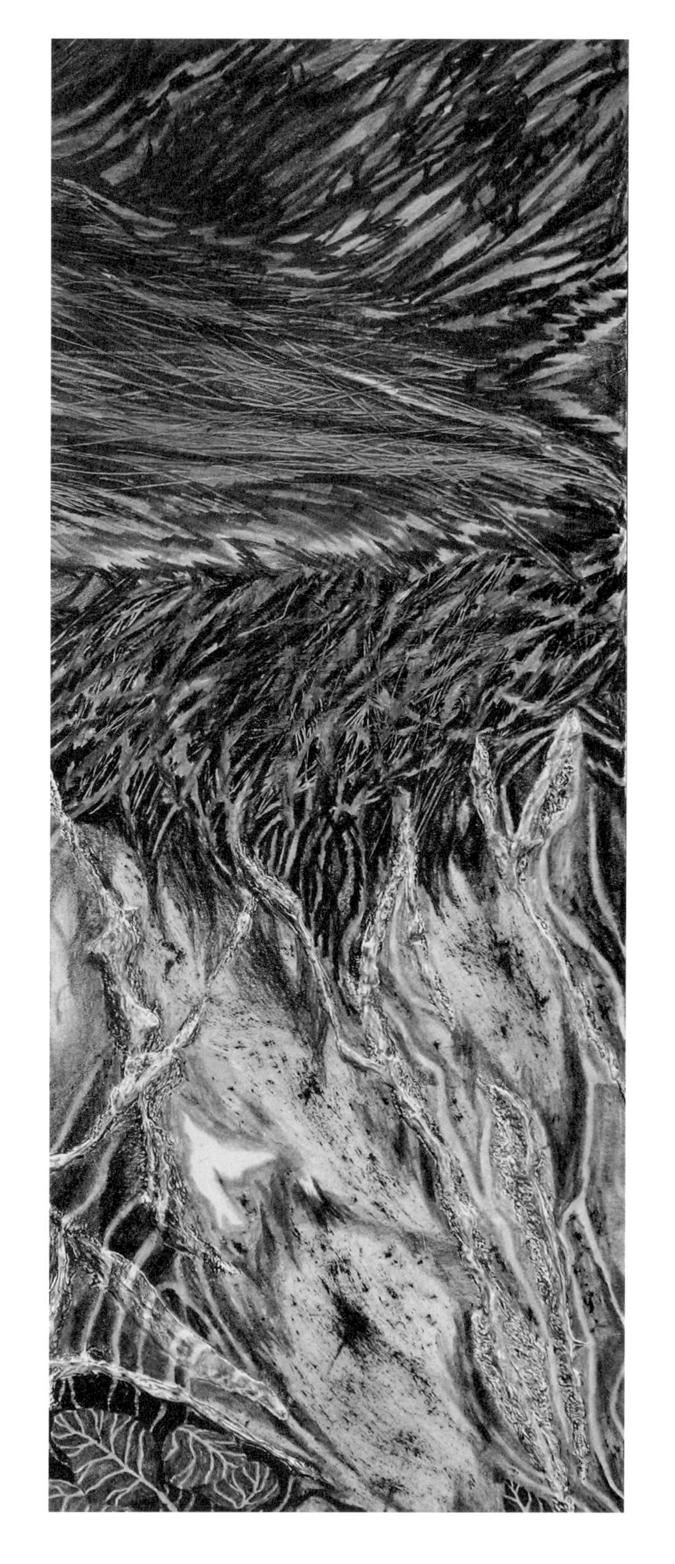

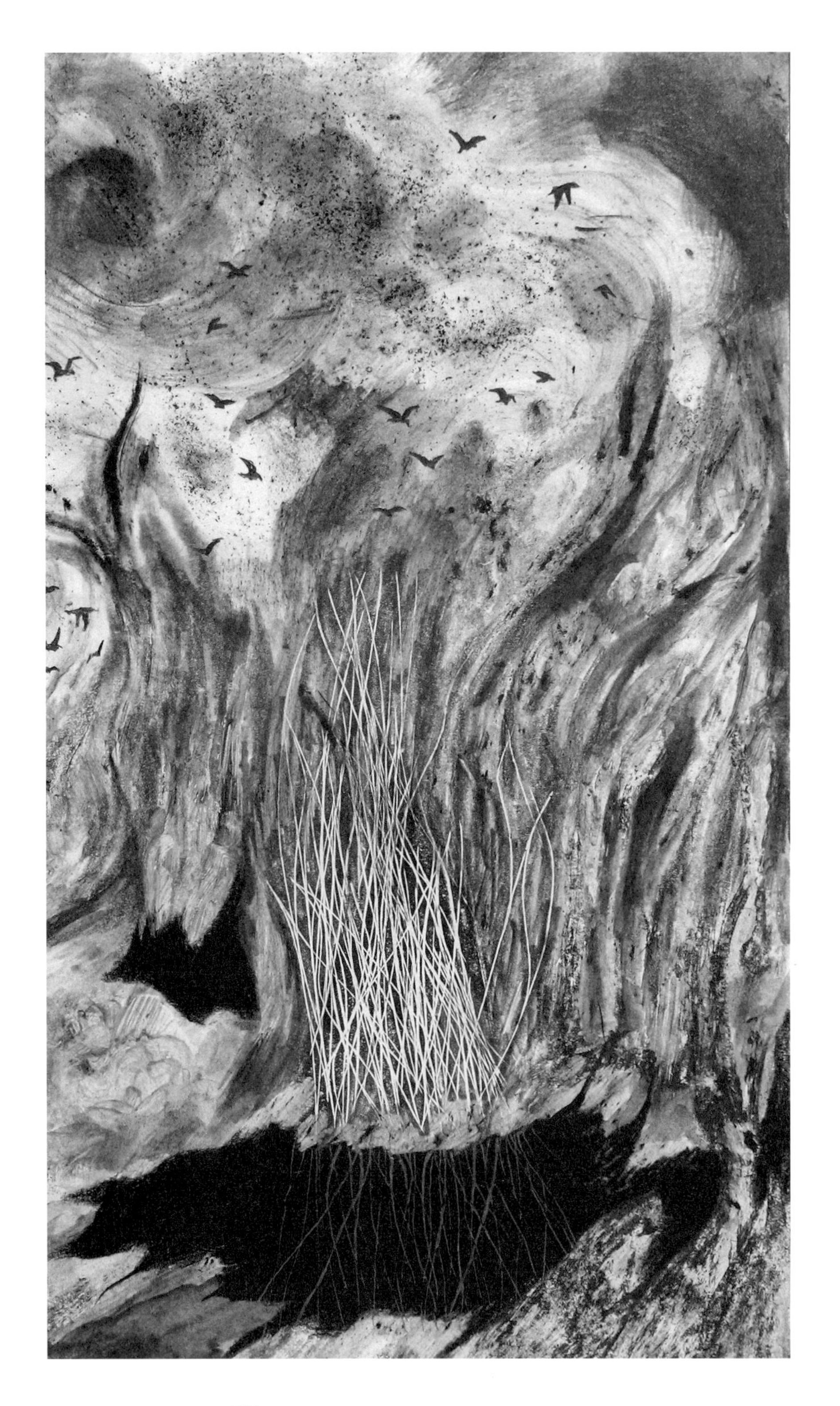

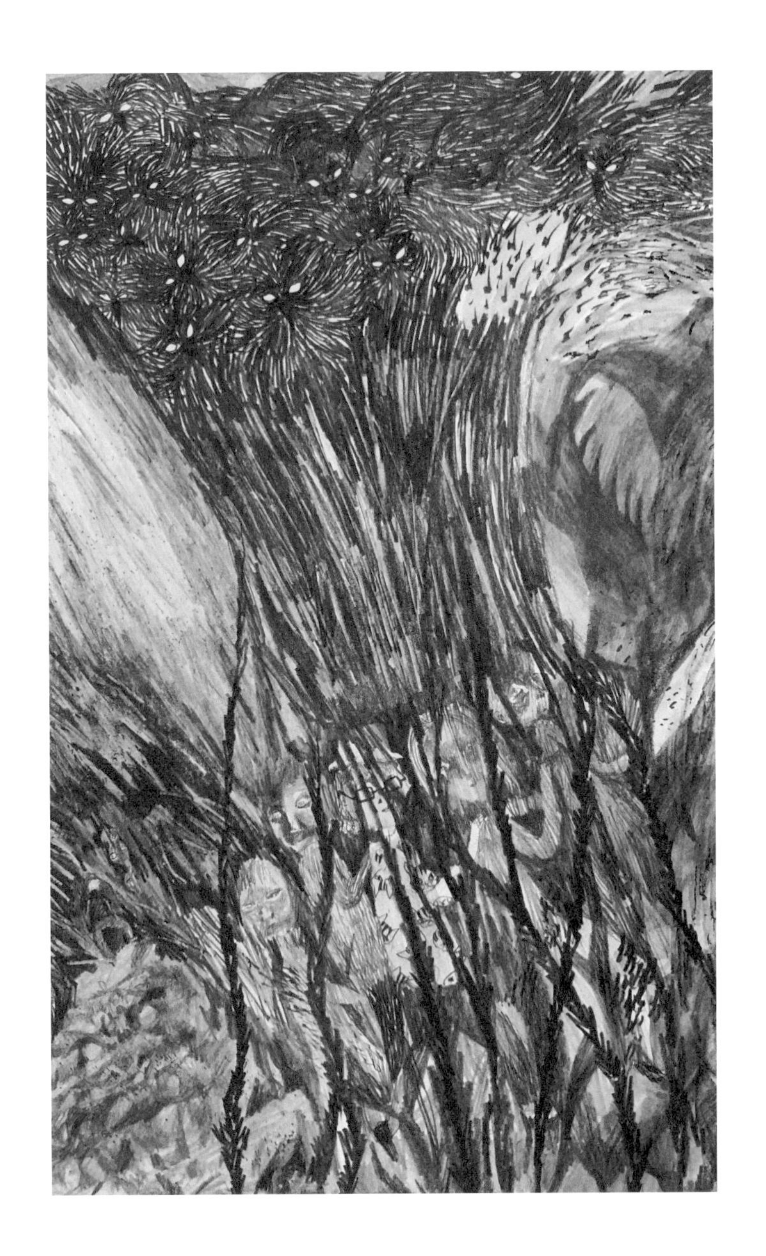

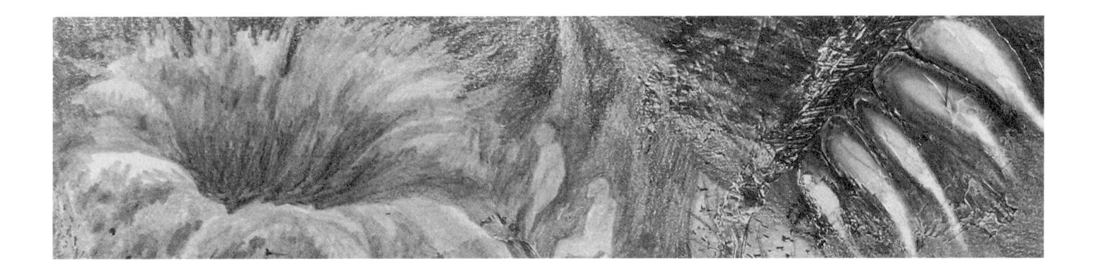

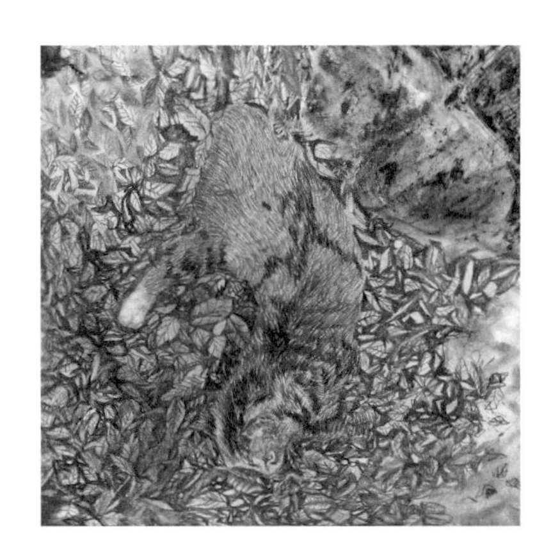

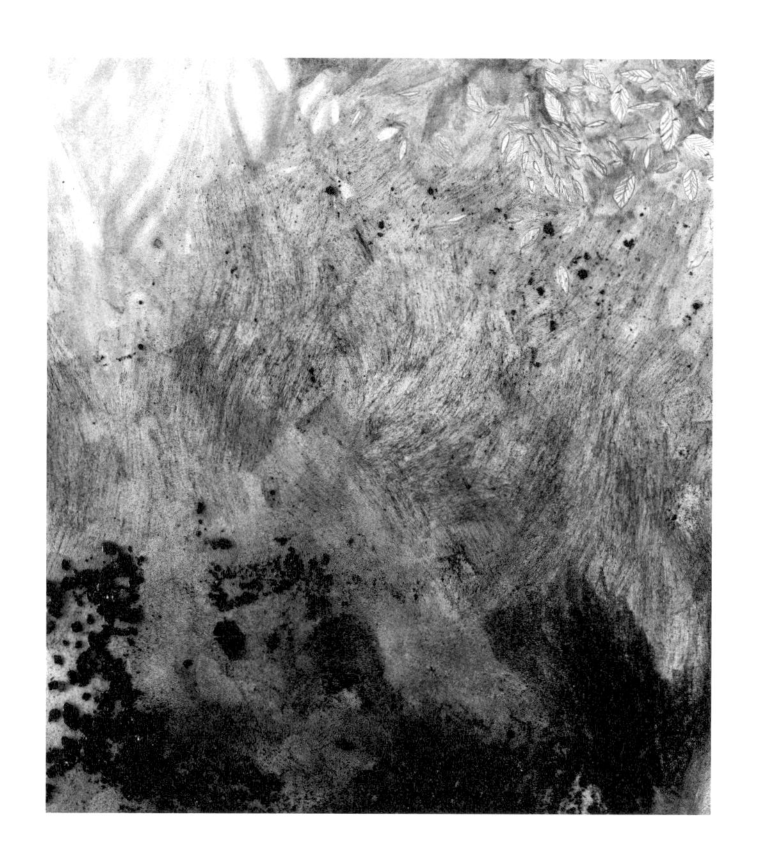

THE FOOL
THE HERMIT

이것은 그가 자신의 삶에서 유배 보낸 것들을 다시 찾아가 보는 일인지도 모른다.

우아한 선과, 감각적인 생략법과,
말없이 말하는 것에 관해 생각한다.

담은 허물어진 채로 그것들끼리 서로 기대어 서 있었다.

어떤 이는 하나를 쥐고 또 다른 하나를 잃지 않기 위해
주먹 쥔 두 손을 끝까지 펼쳐보지 못했다.

어떤 기억은 자주 더듬어 보는데도 자꾸만 산화되어 간다.

가만히 그 자리에 놓여 있다.

익숙한 장면들이 그가 적어 놓은 단어들 위로 무심하게 펼쳐진다.
그는 그것에 관해 아는 바가 없다.
그저 멍청하게 그것들을 바라본다.

지금의 그가 되기까지 지난 세월 동안 그는 무엇이었을까?

그는 자신이 가야만 하는 길을
약간은 휘청거리며, 약간은 불규칙하게 갔다.
흔들리는 시야를 바로잡으며, 고개를 숙이고
발끝을 바라보며 갔다.

그는 남아도는 것들을 어찌하지 못하고 쓸어 담아
가지고 다니며, 아직도 자신에게 없어도 되는 것이
있을까 생각한다.

매 순간 주위를 살핀다.

숨 쉬지 않고 나는 새를 쳐다본다.

그의 주머니 속에는 이름 없는 누군가에게 전염된 이야기들로 가득했다.

원하지 않아도
이미 그에게 스민 것들이기도 했다.

그곳에는 비린 냄새와
오래 쳐다보기 힘든 어지러운 형태들이 가득했다.

그는 누군가에게 물려받은 세계로 걸어 들어갔다.

그는 자신이 부여받은 이름을 떠올렸다. 그 이름으로
인해 생겨난 세계에 관해 생각했고, 자신이 존재하는 한
그 세계는 사라지지 않는다는 것을 깨달았다.

누군가 아무것도 시작하지 못하는 그에게
살아가면서 언제나 의심은 생기고,
기본은 흔들리며, 이유는 사라진다고 말했다.

여기, 쏟아지는 물이
온몸을 찢어내며 바위를 덮고 지나간다.

어떤 날, 그는 간담이 서늘해졌다.
차라리 재가 되어 사라지는 편이 낫다고 생각한 것들이
끝까지 남아 있을 것을 생각하니, 눈앞이 캄캄해졌다.

그는 종종 두려워했다.
모든 것이 낡아 없어지고
결국 자신에게 아무것도 남지 않을 것이라 여기며 좌절했다.

그는 늘 바르르 떨곤 했다.
어렵게 구축한 자신의 세계가 섣부른 비교와 판단으로 폭삭 무너질까 걱정했다.

그는 모든 것이 재가 되기를 바랐지만 그럴 수
없다는 것을 예감했다. 타오르는 불길을 바라보며
남지 않는 것의 무서움과 남는 것의 무서움에
관해 생각했다.

그들은 바위 사이로 펼쳐진 좁은 길을 따라갔다.
찬바람이 마른 나뭇잎들을 두드리는 소리와
미친 짐승의 울음소리를 길잡이 삼아 걸었다.

보이지 않는 것들이 우리의 세계를 만든다.

정확한 것이 진실인 건 아니다.

그가 이해받지 못하는 이유는 그를 이해해야 할 것들이 너무 많았기 때문이다.

그는 쭈그려 앉아 있다가 다시 무릎을 세운다.

어떻게 생겼는지도 모르는 것을
잃어버렸다는 슬픔과 고통으로 여러 날을 보낸다.

주머니 바깥으로 내밀어 보아도 나타나지 않는
그것을 되찾으려 걸음을 멈추고 허공을 더듬었지만
헛수고였다.

때로 그는 보이지 않는 향기를 한 움큼 주머니 속에 넣고
방으로 뛰어가 그대로 꺼내어 보기도 했다.

또 다른 날, 그는 세상에서 가장 화려한 색으로 태어나
채도를 잃어버린 꽃과 나비 무늬의 천 조각처럼 가라앉는다.

어떤 날, 그는 단단하고 곧은 벽이 되어
그 어떤 것도 물리칠 수 있는 방어막이 되었다가,
다음 날은 폭삭 내려앉아 누군가의 발끝에서
굴러다니는 돌멩이가 되기도 했다.

하지만 끝까지 뒤쫓는다.

그것들을 자주 생각하지만
한 번에 많이는 생각할 수 없다.
떠오르면 그때부터 자주, 하지만 한 번에 조금씩.
불쌍한 그 식으로만

그곳에는 스스로 의미가 아니면서 주위를 주워
의미로 만드는 것들이 있었다.

그는 신과 같이 다리를 놓았다가 이내 부수고,
삐뚤고 날 선 풀과 밤길 사이를 끝도 없이 걸어갔다.

바보라고 불리던 그는 아주 납작하고 얇은 유리로 꽃을 만들어 들고 다녔다.
아직도 그는 자신이 만든 것을 "무엇인 것 같아."라고 이야기한다.

허공 위에 또 다른 허공을 겹치는 일

구멍 난 울타리를 세우는 일

우습게도 그는 겸연쩍은 채로 그것들과
여전히 함께 앉아 있다. 휴지통으로 끌어당겨
데이터를 삭제하듯, 존재하지 않았던 척할 수
없다는 것을 이미 반쯤은 예감했을 테다.

그는 자신의 작은 방을 휩쓸고 간
폭풍들을 꼭 숨겨 두었다. 어느 날
그는 보이지 않는 무엇들과 헤어지고 싶었다.
그래서 그는 서먹해지는 쪽을 택했다.

이상하고 평화로운 날들이었다.

그 무렵 그는 잡을 수 없는 것을 불투명하게 남기기로 마음먹는다.
그리고 아직 오지 않은 시간에 관해 이야기해야 한다고 생각했다.

그는 용기 내어 그려둔 것들을 다시 오려 붙이고,
주변을 굴러다니던 작은 돌멩이들을 이어 붙인다.
이곳의 수명이 끝나지 않기를 바라는 마음으로.

등을 돌리면 다른 세상이 보였다.
뒤를 돌아보는 것은 발을 딛고 선 지면을
접어보는 것이기도 했다. 가장 먼 곳에
있던 것들이 손 내밀면 닿을 거리에 나타나 있다.

그때마다 그는 꺼내둔 생각들 또한 자신처럼 깊은
구렁 속에 갇혀 있음을 깨닫고 한없이 가여워했다.

어떤 날, 그는 자신이 무엇을 하고 있는지 잊어버린 채
머릿속에 있는 모든 일을 하나씩 꺼내어 보곤 했다.

그는 깜빡이는 눈동자를 방부 처리하고, 일어나는 모든 일을 살피려 했다.

그는 자신이 두터운 벽과 천장 안에 깊숙이 파묻혀 있으며
그 벽이 얼마나 깊은지 가늠해 보는 것이 중요하다고 생각했다.
그 눅눅한 천장은 그가 손을 가져다 대기도 전에 증발해 버렸다.

그는 요람에서 벗어나 천천히 움직이다가 이내 멈추고,
가장 먼 곳을 향해 나아가다가 고개를 돌려 하늘이
보이지 않는 천장으로 향한다.

눈을 감았다 뜨니, 그는 갑자기 불쑥 태어나 있었다.

많은 사람들이 당신을 좋아할 것이고, 당신을 싫어할 것이며,
당신을 찬양할 것이고, 당신을 비난할 것이다.

이것은 당신이 적어낸 나의 이야기

240

118, 151, 166

131, 194-195

137, 152, 176

132, 157

154-155,
168-169, 233

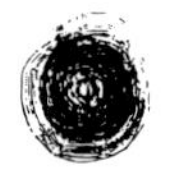

158, 162

110, 172, 215

79, 173

88, 204, 220

65, 86

148, 226

122, 230

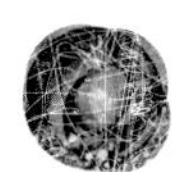

207, 229

112, 187

133, 206

126, 179

72, 98, 141

95, 140

70-71, 124

66, 75

91, 139, 227

93, 126, 180

72, 114, 222

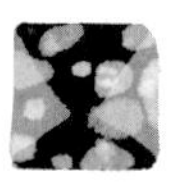

113, 217

79, 82, 96

110, 165, 189

82, 119

176, 185, 202

154-155, 171

111, 131, 192

99, 103, 129

150, 186, 203

78, 96, 105

188, 211

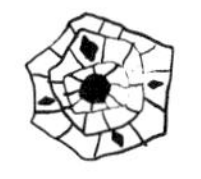
117, 145, 167

146, 149, 209

74, 90, 234

69, 73, 87

76, 84, 135

133, 150, 198

85, 231, 238

77, 103, 212

107, 123

83, 125, 137

77, 161

122, 216, 224-225

115, 164, 181

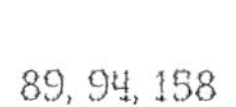
89, 94, 158

127, 141

65, 93, 201

꺼내어 보기

먼지로 세운 성

A castle built of dust

임선구

Im Sun Goo

먼지로 세운 성
A castle built of dust

발행일
1판 1쇄 2023년 10월 26일

글, 그림
임선구

편집
김진주

디자인
신자유 (권수진)

인쇄
문성인쇄

펴낸곳
드로잉룸

후원
문화체육관광부
예술경영지원센터

이 책은 두 분의 소중한 글에 영향을 받아 작성했습니다. 257쪽은 승효상 건축가의 『보이지 않는 건축, 움직이는 도시』(돌베게, 2016)를, 277쪽은 최희승 큐레이터의 「마주치는 세계와 접히는 이야기들」(«벽돌나비» 전시 서문, 2022)을 참고했습니다.

pubished in October, 2023
ISBN 979-11-984812-9-0(07600)

65-66	벽장 안의 뜰 1	2023	종이에 흑연, 혼합 재료, 콜라주	45×54×6.5cm
68-72	벽장 안의 뜰 2	2023	종이에 흑연, 혼합 재료, 콜라주	52×61×6.5cm
73-74	벽장 안의 뜰 3	2023	종이에 흑연, 혼합 재료, 콜라주	68×65×9cm
75	벽장 안의 뜰 4	2023	종이에 흑연, 혼합 재료, 콜라주	72×56×8.5cm
76-78	벽장 안의 집 4	2023	수제 종이에 흑연, 혼합 재료, 콜라주	44×32cm
79	벽장 안의 집 5	2023	수제 종이에 흑연, 혼합 재료, 콜라주	43.5×58.3cm
80-82	밤은 오지 않을 듯이	2023	수제 종이에 흑연, 콜라주	50.5×55cm
83-84	벽장 안의 집 2	2023	수제 종이에 흑연, 혼합 재료, 콜라주	33×82cm
85-86	오므려 쥔 땅 4	2023	종이에 흑연, 콜라주	33×45cm
87-90	벽장 안의 집 3	2023	수제 종이에 흑연, 혼합 재료, 콜라주	43×65.8cm
91-94	오므려 쥔 땅 6	2023	종이에 흑연, 콜라주, 혼합 재료	52.5×49.5cm
95	구덩이를 파는 사람	2023	수제 종이에 흑연, 혼합 재료, 콜라주	65.5×109cm
96, 98-101	유령과 벽	2022	종이에 흑연, 혼합 재료, 콜라주	56×80cm
102-103, 105	벽과 유령	2022	종이에 흑연, 혼합 재료, 콜라주	54.5×79cm
106-109	반만 잠긴 바위	2022	종이에 흑연, 혼합 재료, 콜라주	38×46cm
110-115	파도 위를 달리는 차	2022	종이에 흑연, 혼합 재료, 콜라주	33×42cm
116-118	오므려 쥔 땅 2	2022	종이에 흑연, 혼합 재료, 콜라주	35.5×42.5cm
119-122	오므려 쥔 땅 3	2022	종이에 흑연, 혼합 재료, 콜라주	36.5×52cm
123-124	잠수석	2022	종이에 흑연, 혼합 재료, 콜라주	33×42cm
125-129	오므려 쥔 땅 1	2022	종이에 흑연, 혼합 재료, 콜라주	29.5×36cm
130-133	나와 비와 벽	2022	종이에 흑연, 혼합 재료, 콜라주	39×45cm
134-139	한치 앞도 안 보는 자	2022	종이에 흑연, 혼합 재료, 콜라주	54×46cm
140-143	도랑과 도랑	2022	종이에 흑연, 혼합 재료, 콜라주	62×42.5cm
144-147	돌과 나와 벽 1	2022	종이에 흑연, 혼합 재료, 콜라주	73×117cm
148-153	돌과 나와 벽 2	2022	종이에 흑연, 혼합 재료, 콜라주	75×117cm
154-156	벽과 돌과 비 1	2022	종이에 흑연, 혼합 재료, 콜라주	103×95cm
157-159	벽과 돌과 비 2	2022	종이에 흑연, 혼합 재료, 콜라주	101×94.5cm
160-162	보지 못하는 새 1	2022	종이에 흑연, 혼합 재료, 콜라주	352×157cm
163-165	보지 못하는 새 2	2022	종이에 흑연, 혼합 재료, 콜라주	335×150cm
166	물러나는 벽 2	2022	종이에 흑연, 혼합 재료, 콜라주	126×152cm
167	보지 못하는 새 3	2022	종이에 흑연, 혼합 재료, 콜라주	340×150cm
168-169	발이 많이 달린 짐승	2023	종이에 흑연, 혼합 재료, 콜라주	172×850cm
170-171	물러나는 벽 1	2022	종이에 흑연, 혼합 재료, 콜라주	138×154cm
172	물러나는 벽 2	2022	종이에 흑연, 혼합 재료, 콜라주	126×152cm
173	물러나는 벽 3	2022	종이에 흑연, 혼합 재료, 콜라주	111×109cm
174	물러나는 벽 4	2022	종이에 흑연, 혼합 재료, 콜라주	109×106cm
175	물러나는 벽 5	2022	종이에 흑연, 혼합 재료, 콜라주	124×89cm
176	물러나는 벽 6	2022	종이에 흑연, 혼합 재료, 콜라주	121×87cm